**Do Daisy agus Rosie – leanaibh ur slighe fhèin
agus na èistibh ri Cinn-cnàimh!
Gaol Dadaidh xx**

LEABHAR TEMPLAR

A' chiad fhoillseachadh sa Bheurla 2014 ann am Breatainn le Templar Publishing,
Deepdene Lodge, Deepdene Avenue, Dorking, Surrey, RH5 4AT, UK
www.templarco.co.uk

© an teacsa agus na dealbhan le Jonny Duddle, 2014

Tha Jonny Duddle a' dleasadh an còraichean a bhith air aithneachadh
mar ùghdar agus neach-deilbh na h-obrach seo.

Na còraichean uile glèidhte. Chan fhaodar pàirt sam bith dhen leabhar seo ath-riochdachadh
an cruth sam bith, a stòradh ann an siostam a dh'fhaodar fhaighinn air ais, no a chur a-mach
air dhòigh sam bith, eileactronaigeach, meacanaigeach, samhlachail, clàraichte no ann am
modh sam bith eile gun chead ro-làimh bhon fhoillsichear.

A' chiad fhoillseachadh sa Ghàidhlig an 2016 le Acair Earranta
An Tosgan, Rathad Shiophoirt, Steòrnabhagh, Eilean Leòdhais HS1 2SD

info@acairbooks.com   www.acairbooks.com

© an teacsa Ghàidhlig Acair, 2016
An tionndadh Gàidhlig le Mòrag Stiùbhart
An dealbhachadh sa Ghàidhlig le Mairead Anna NicLeòid

Tha Acair a' faighinn taic bho Bhòrd na Gàidhlig.

Fhuair Urras Leabhraichean na h-Alba taic airgid bho Bhòrd na Gàidhlig
le foillseachadh nan leabhraichean Gàidhlig *Bookbug*.

Gheibhear clàr catalog CIP airson an leabhair seo
ann an Leabharlann Bhreatainn.

LAGE/ISBN 0-978-0-86152-599-7

Clò-bhuailte ann an Sìona

GURMÒROSAURUS

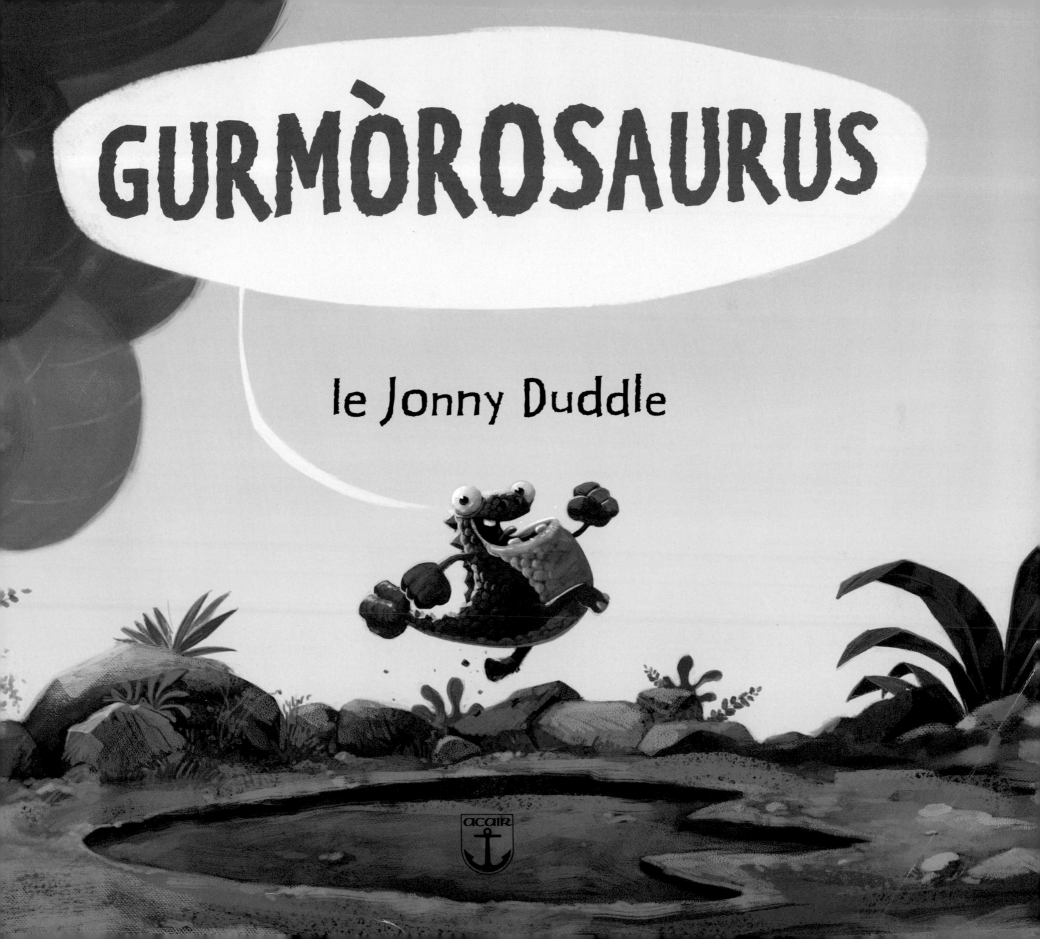

Iomadh millean bliadhna air ais,

air iomall coille dhuilleagach, thais,

fo sgàil bholcàno a' taomadh ceò,
bha ceithir dìneasaran beag a' tighinn beò,
a' ruith mun cuairt am blàths na grèine,
ri cleasan spòrsail còmhla ri chèile.

Chaidh Eòs is Bìodan,
Ceann-cnàimh is Seoc
a-mach a chluich
's a dhìreadh cnoc.
Bha Gurmòrosaurus
air an inntinn,
's thuirt
Ceann-cnàimh:

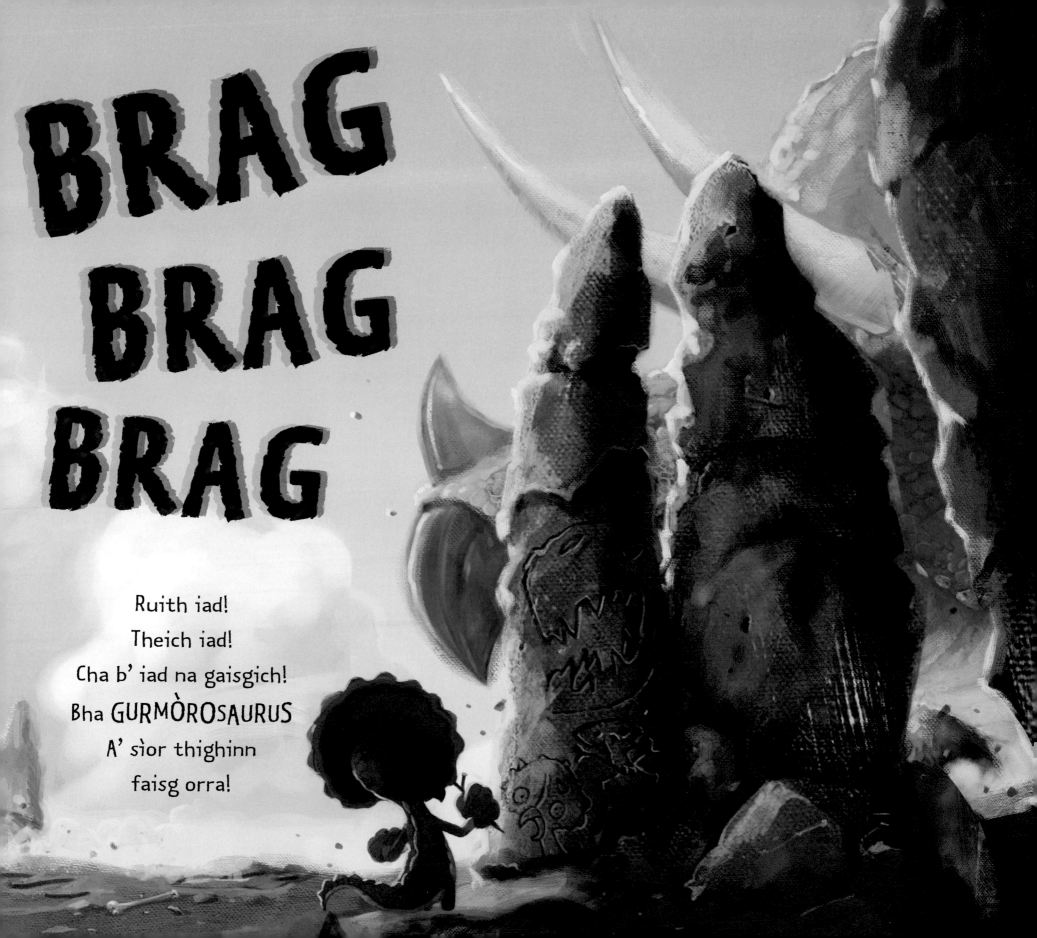

BRAG
BRAG
BRAG

Ruith iad!
Theich iad!
Cha b' iad na gaisgich!
Bha GURMÒROSAURUS
A' sìor thighinn
faisg orra!

Cha robh sgeul air STAMP.
No idir RÙCHD.
'S cha robh uile-bhèist
a' dèanamh brùchd.

"'S e th' ann ach
TRICERATOPS!"
Thuirt Ceann-cnàimh
le gàire.
"Ruith sibh!
Theich sibh!
O-o mo
NÀIRE!"

Halò Dad.

Halò 'Ille.

"Ach rinn sibh a' chùis air
Deuchainn Èiginn na Faire.
's tillidh mise gum spiris
far an cùm mi an aire."

Ach cha b' fhada gus an cual iad èigh
na bu chruaidhe:

An
GURMÒROSAURUS!
RUITHIBH – TEICHIBH bhuaithe!

**BOM
BOM
BOM**

Ruith iad! Theich iad!
Cha b' iad na gaisgich!

Bha an GURMÒROSAURUS
a' sìor thighinn faisg orra!

Ach cha robh guth air STAMP.
No idir air RÙCHD.
No uile-bhèist acrach a' dèanamh brùchd...

"'S e DIPLODOCUS!" a th' ann,
thuirt Ceann-cnàimh le gàire

"Ruith sibh! Theich sibh!
O-o mo NÀIRE!"

"Tha cunnart mun cuairt
's tha feum anns an leasan.
Cumaidh mi sùil bhon
raineach mhòr, phreasach."

SLAC
SLAC
SLAC

RUITH iad! THEICH iad!

Cha b' iadsan na gaisgich!
Bha an GURMÒROSAURUS
A' tighinn na b' fhaisg orra!

Ach cha robh sgeul air STAMP.
Is cha robh guth air RÙCHD.
Cha robh sealladh de bhiast
a dh'itheadh le BRÙCHD.

"STEGOSAURUS a th' ann!"
Rinn Ceann-cnàimh gàire.
"Ruith sibh! Theich sibh!
Ach, o-o mo NÀIRE!"

"Ach rinn sibh a' chùis
air gach deuchainn gun strì.
Gabhaidh mi norrag san nead.
Tha mise sgìth."

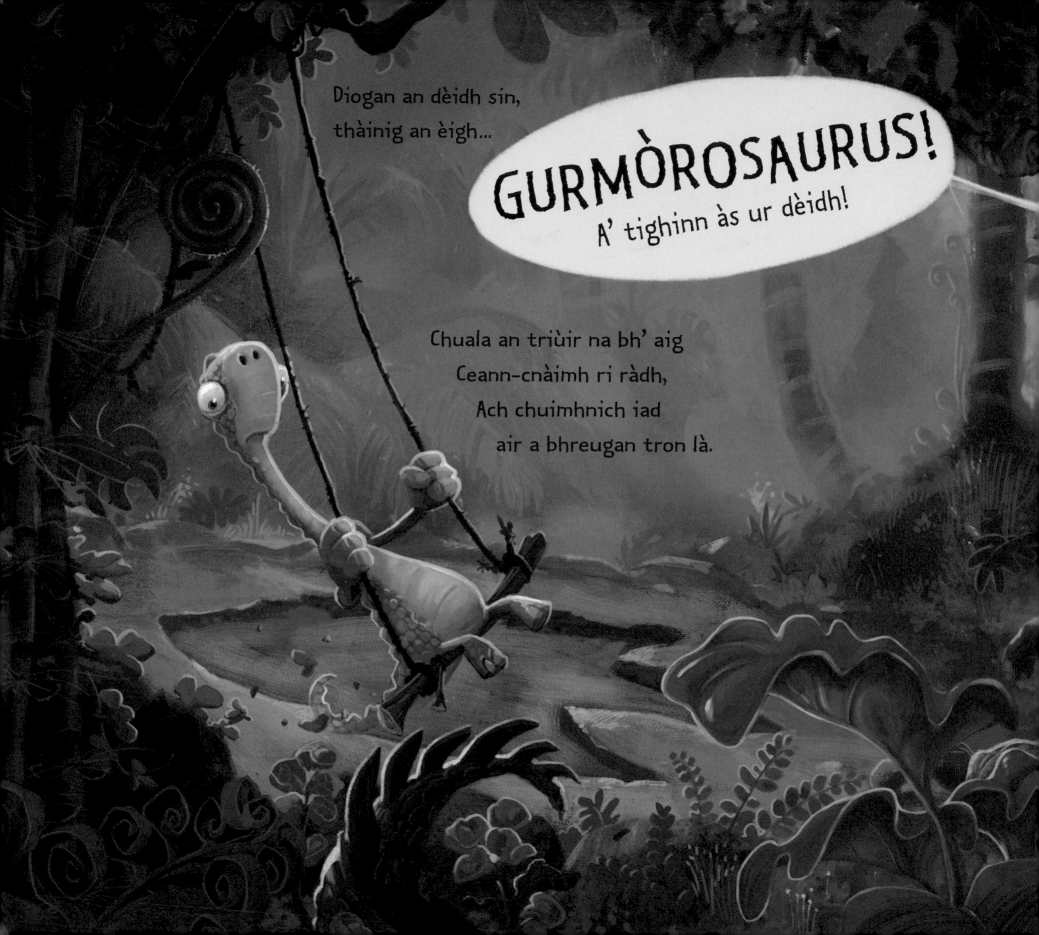

Diogan an dèidh sin,
thàinig an èigh...

GURMÒROSAURUS!

A' tighinn às ur dèidh!

Chuala an triùir na bh' aig
Ceann-cnàimh ri ràdh,
Ach chuimhnich iad
air a bhreugan tron là.

"Sin e!" thuirt Seoc.
"Tha siud gu leòr!
Cluichidh sinn
ÀS D' AONAIS
Na cluinneam an còrr!"

Cha robh Ceann-cnàimh cho bragail
air fhàgail leis fhèin.
Cha robh guth air na cleasan, cha robh e cho treun.
Bha fuaim car eagallach a' tighinn na b' fhaisge
'S gu dearbh fhèin, cha b' esan an gaisgeach.

Rinn na casan

STOMP!

Rinn an stamag...

RÙCHD!

As dèidh dha ithe, rinn an
GURMÒROSAURUS
BRÙCHD!

Ged a bha Ceann-cnàimh an dùil gun gabhadh iad feairt,
cha do ghabh iad diù, 's thuirt iad,
"Aidh, ceart!"

SEO NA DÌNEASARAN THA ANNS AN LEABHAR SEO...

PARASAUROLOPHUS
Tha eòlaichean Paleo-onteòlas* den bheachd gum biodh cìrean a bheathaich seo a' dèanamh fuaim!

TRICERATOPS
Bha claigeann mòr air an dìneasar seo – an treas cuid de dh'fhaid a bhodhaig.

ANKYLOSAURUS
Bha suas ri 5 no 6 tunna de chudrom ann an inbheach aig làn fhàs.

STEGOSAURUS
Is e thagomizer an t-ainm a th' air an earball biorach aig an dìneasar seo.

*Paleo-onteòlas: Eòlas saidheansail air àm ro-eachdraidheil

DIPLODOCUS

Bha eanchainn annasach beag anns an dìneasar uabhasach mòr seo.

PTERODACTYL

Chan eil leithid de rud ann ri pterodactyl, ach 's e sin a tha aig a' mhòr chuid air pterosaur (laghairt a rachadh air iteig). An rud a bha còir aig Ceann-cnàimh a ràdh, 's e pteranodon no gu ceart, quetzalcoatlus, ach cha b' urrainn dha-san sin fhuaimneachadh.

BRACHIOSAURUS

Seo dìneasar fìor mhòr a bhiodh a' tighinn beò air lusan. Fàsaidh màthair Bhìodain nas motha na fiù 's an Diplodocus!

GURMÒROSAURUS
Chaidh ainm an dìneasar eagalach seo a
dhèanamh suas airson an leabhair!*

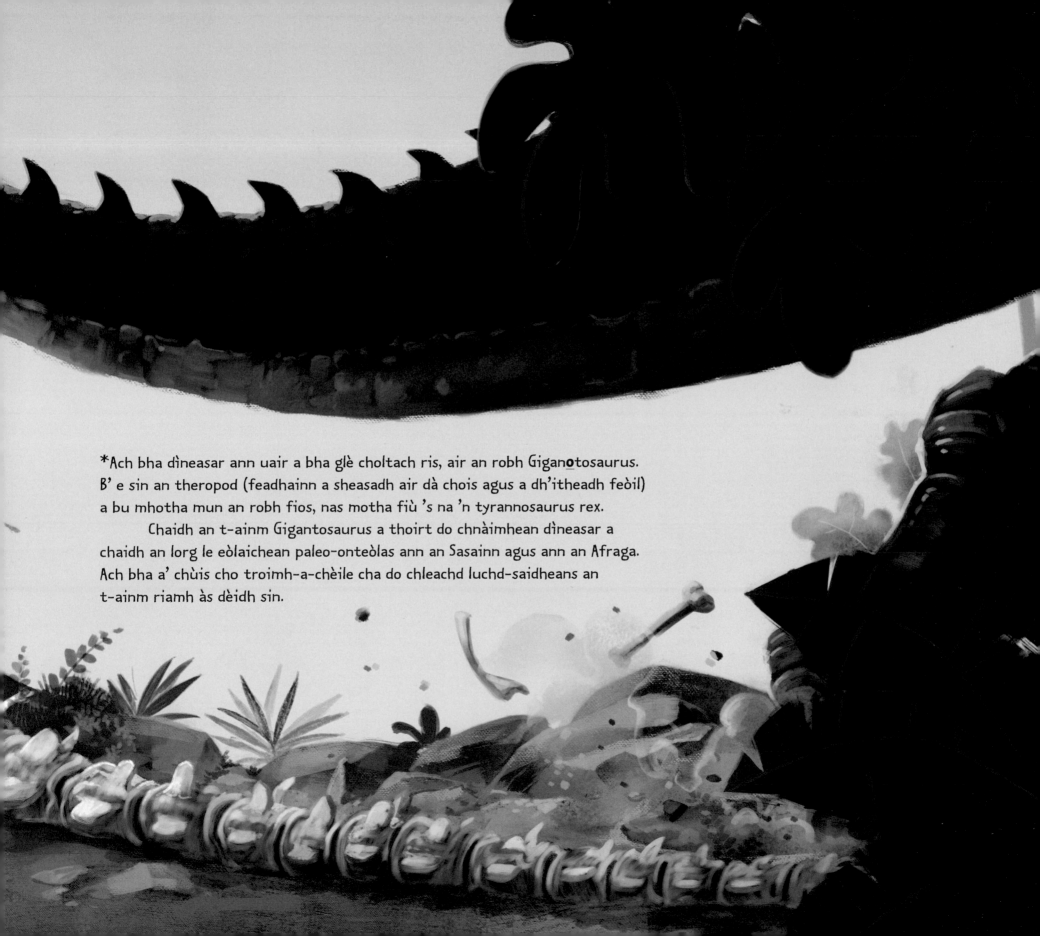

*Ach bha dìneasar ann uair a bha glè choltach ris, air an robh Giganotosaurus. B' e sin an theropod (feadhainn a sheasadh air dà chois agus a dh'itheadh feòil) a bu mhotha mun an robh fios, nas motha fiù 's na 'n tyrannosaurus rex.

Chaidh an t-ainm Gigantosaurus a thoirt do chnàimhean dìneasar a chaidh an lorg le eòlaichean paleo-onteòlas ann an Sasainn agus ann an Afraga. Ach bha a' chùis cho troimh-a-chèile cha do chleachd luchd-saidheans an t-ainm riamh às dèidh sin.

CRÌOCH